반짝이는 모든 순간

반짝이는 모든 순간

발 행 | 2024년 2월 27일
공동저자 | 신수연, 스완맘, 꽃자리, 김지연, 꽃마리쌤
기획·디자인 | 꽃마리쌤
펴낸이 | 한건희
펴낸곳 | 주식회사 부크크
출판사등록 | 2014.07.15(제2014-16호)
주 소 | 서울 금천구 가산디지털1로 119, A동 305호
전 화 | 1670 - 8316
이메일 | info@bookk.co.kr

ISBN | 979-11-410-7414-2

www.bookk.co.kr

반짝이는 모든 순간

오늘의 작가 5인

신수연

스완맘

꽃자리

김지연

꽃마리쌤

작가님들의
다정한 이야기를 담았습니다.

당신의 . 이야기가 . 책이 . 됩니다

쓸수록 힘이 나고,
매일매일 행복해지는
한 줄의 기록

당신의 . 기록이 . 책이 . 됩니다

차례

마음이 자라는 중

신
수
연

신수연

×

알다가도 모르겠다.
좋기도 하고 싫기도 하다.
너그러운 듯 하다가도 화를 낸다.
갑자기 아무 생각이 떠오르지 않는다..

아이들을 바라본다.
내 마음도 자라는 중.

내가 잘했어?

피아노를 시작한지는 6개월은 된 거 같다.
요즘은 피아노도 급수 시험이 있다고 한다. 대회 나가는 경험도 해보고 잘 할 것 같으니 시켜보자는 원장선생님의 전화가 왔다.
대회 1주일 전이었을까.
집에 피아노 장난감을 보더니 연습하는 걸 보여주겠단다.
작은 소리로 하나 둘 셋 하며 "나비야"를 두 손으로 연주한다. 연주 중간에 하나 둘 셋 하며 쉬는 텀을 두며 마지막에도 셋을 세고 손을 뗀다.
통통하고 짧은 손가락으로 건반 누르는 것만 봐도 귀엽다. 연습 많이 했구나 하며 감탄해 주었다.
대회 당일이 되었다. 안가고 싶다고 얘기를 한다.
그래. 긴장도 되고 새로 느껴보는 기분일 테다. 평소 하던 대로 하면 돼 라고 해도 전혀 도움이 안되는 느낌.
동화책 하나가 눈에 띄어 읽어 보라고 했다. 노래대회 나가는 아이의 연습 과정, 당일 떨려서 기억이 나지 않는 모습, 그래도 차분히 마무리를 하고 내려오는 아이의 기분, 느낌들이 표현되어 있다.
아이들 픽업을 남편이 도와주기로 되어 있었다. 갑자기 결석하는 아이들이 몇 명 있었다. 남편 손에 들려 가는 아이에게 "실수해도 좋아. 틀려도 돼. 기억나는 대로 하고 와." 라고 했다.
생각보다 금방 끝내고 왔다. 아무렇지 않은 척 별 말이 없다.
오후가 되어 온 원장 선생님의 연락.
"차분히 너무 잘했어요. 합격이예요." 한다.
아이에게도 알려주었다. 그러자 "내가 잘했어?" 되묻는다.

급수 시험장에서 만난 물. 나뭇가지 들고 관찰하기.

나 이거 전시할 거야

아이들이랑 종종 전시회를 간다.
그림이든 조각이든 표현을 해서 그 가치가 어떠하든 원하면 전시도 할 수 있다고 얘기를 한 적이 있다. 다른 사람 도움 없이 스스로 표현해 내었다는 게 대단한거야 라고 하며.
같이 색칠을 하거나 따라 그릴 때 내가 한 것을 보고 더 멋진 거 같다고 얘기를 할 때면 나는 너의 그림이 더 멋지다고 얘기를 해주거나 다른 방법을 알려주며 이렇게 해보는 건 어때? 하기도 한다.
자신감을 가지라고 한 번씩 아이 그림을 문에 붙여 두기도 했다.
스스로 어떻게 결론을 내렸는지는 모르겠다.
그림을 그리거나 글자나 숫자로 무언가를 나타내건 방문마다 붙여 두기 시작했다. 너무 많아 정리할 겸 떼어내었더니 며칠 사이에 종이접기며 가위 오린 것들로 붙여 놓는다.
레고나 다른 종류의 블록으로 만든 것들을 손이 안 닿는 곳에 놓는 줄로만 알았다. 올려 둘 수 있는 곳이면 아이가 만든 것들로 채워졌다.
둘째에겐 만지지도 못하게 한다.
장난감은 가지고 노는 거라고 하며 협의하여 몇 개씩 다시 분리해 놓기는 하지만 비워지면 또 채워 진다.
"나 전시 할 거야."

같은 곳 다른 시선.

첫째는 유치원에서 종이접기를 하고 왔나보다.
둘째는 어린이집에서 오리기를 했나보다.
바닥에 나 몰래 그림도 그리고, 각자 하고 싶은 걸로 집중하는 시간.

둘째가 레고까페를 가서 처음으로 진득하니 앉아서 무언가를 만들었던 날.

자연이 좋은 아이.

이렇게 좋아하게 되어도 괜찮은 걸까.
숲 체험이 많은 유치원을 다녀서 자연을 가까이하며 지냈다.
공원 나들이를 가도 풀 있고 물 있으면 시간 보내는 건 너무 쉬웠다.
가끔 보여주는 유튜브는 온통 자연 나오는 동영상으로 골라본다.

오랜만에 실내 동물원을 찾았다.
사람 다니는 길로 알파카가 돌아다니는 곳이었다. 먹이 바구니를 들고 다니면 어느새 다가오니 부모들이 팔을 들고 있다.
둘째는 나의 손을 꼭 잡는다. 좋아하는 토끼와 거북이만 만져 본다.
먹이 구멍 사이로 당근을 줘 본다.
첫째는 망설이는 게 없다. 알파카가 갑자기 다가 왔을때 놀래서 소리를 질렀지만 이내 알파카를 따라다닌다. 뱀이며, 카멜레온이며, 도마뱀이며 체험 시간마다 줄을 서서 만져보고 팔에 올려 보고, 머리에도 올려보고 사진을 찍어달라고 한다.
작은 앵무새가 가득한 새장도 있었다. 먹이를 채에 넣었더니 몰려와서 껍질까서 속만 먹고 날아간다. 첫째는 자기 손에 올려 보겠다며 손을 뻗는다.
먹이를 다 먹고 나서도 새를 자기 손에 올려 보기 전에는 나가지 않겠단다.
어느새 토끼도 돌아다닌다. 영혼이 자유로운 토끼라 가둬 놓는 걸 싫어한단다.
이내 첫째는 토끼를 따라다닌다.

아이 손에 안기를 바라며 먹이 먹는 새 가까이 손을 펼쳐 놓는다.

둘째가 마음 편안히 다가갈 수 있었던 거북이.

학교 운동장에서.
모래놀이 할 수 있는 곳 찾기가 점점 어렵다.

헤어진다는 느낌.

졸업이라고 하긴 그렇지만 유치원이 문을 닫게 되어 옮길 수 밖에 없는 상황이라 5세도 6세도 다들 졸업 때 입는 가운을 입고 종업식을 하게 된 날.
마지막이기도 하고 코로나가 끝나 작게나마 공연을 준비했단다.
커텐이 열리고 정렬하여 선생님을 보고 집중하는 아이들.
음악이 시작되자 긴장된 듯한 표정으로 공연하는 아이들.
내 마음은 갑자기 눈물이 핑. 그렇게 평소에 말썽인 아이들도 잘하는 모습에 정말 다들 많이 컸구나 싶었다. 감동이었다.
마지막이라서일까.
물론 내 눈은 아들만.
어제 잠을 늦게 잤던가. 중간중간 하품을 한다.
그래도 조금은 집중을 잘해서일까. 앞줄 가운데 서 있다.
남자아이들과 다르게 여자아이들의 공연 솜씨는 또 달랐다.
춤과 노래, 난타, 우크렐라 등 귀여움 가득한 공연이 끝이 났다.
마지막 수료식을 하며 눈물을 흘리는 담임 선생님.
그저 공연이 끝나 엄마 아빠 찾으며 즐거운 아이들.
나만 괜히 아쉬운 걸까. 빨리 가자고 하는 아들 손을 끌어
담임 선생님과 사진을 찍고, 원장 선생님과도 사진을 남겨 본다.

하루하루 준비물 깜빡하기도 하며 정신없이 보냈는데....
선생님들도 참 고생 많으셨고, 아이들도 그만큼 참 많이 자랐다.

헤어진다는 느낌을 너는 알까.

봄이 오는 중.

아침 등원길.
집앞 매화 나무에 꽃이 피기 시작했다.
새들도 앉아 있다.
아이에게 말해주었다.
"어떤 새 같아?"
"직박구리...?"
"매화나무는 정말 제일 먼저 봄을 알려주나 보다. 엄마는 아직 추운데."
"매화나무는 따뜻한가 보다."
말없이 매화나무 주위를 맴돈다.
나는 또 맘이 급해져서 아이 손을 이끈다.

내 마음도 따뜻한 봄으로 채워지기를.

엄마라는 이름

스완맘

스완맘(박연주)

×

아이를 낳고 양육하면서 새로운 '엄마'라는 세계에 발돋움 하게 되었습니다. 울고 웃고 함께 성장하는 시간을 보내며 나의 엄마와 나 자신, 그리고 엄마라는 이름에 대해 돌아보게 되었습니다. 지금 이 순간 성장하고 꿈꾸는 모든 엄마들을 응원합니다.

엄마가 되었다

35살, 직장에서 함께 일했던 동료에서 사랑하는 연인으로 발전하면서 결혼하게 되었습니다.
결코 어린 나이는 아니라고 생각했기에 아이를 낳으면 참 좋겠지만, 혹시라도 아이를 갖지 못하더라도 둘이 지지고 볶고 잘 살자고 이야기하곤 했습니다. 그렇게 2017년 9월에 저는 평범하게 결혼했습니다.

그리고 이듬해 1월 집들이 날 고등학교 친구들이 놀러 왔어요.
그날 친구 중 한 명이 어느 용한 점집에서 점을 봤다는 이야기를 신나게 해 주면서 다들 흥미진진하게 들었더랬죠. 그리고 그 날밤 저는 초록 고추를 마당에 널며 "이렇게 말려야 햇빛에 잘 말려~"라고 점집 이야기를 해 준 친구에게 이야기하는 꿈을 꾸었습니다.
참 이상했지요. 고추 꿈은 태몽이라는 이야기를 많이 들어서인지 당장 병원에 가봐야겠다는 생각이 들었습니다.
그래도 일단 병원에 가기 전 임신테스트기로 체크를 해 봤어요. 임신 테스트 결과 희미하게 한 줄이 떠서 저는 더더욱 궁금해지기 시작했습니다.
"안 되겠다. 우리 내일 당장 병원에 가보자"
할 건 빨리해야 하는 성격 덕에 다음날 바로 병원으로 향했습니다.
"확실한 건 아니지만 임신인 것 같습니다"
임신이 맞는 것 같다는 의사의 말을 듣고 우리는 너무 기뻤습니다.

아이가 안 생기면 그냥 안 생기는 대로 살자고 했던 우리였는데 아이가 생긴 게 맞는 것 같다고 하니 태명부터 지을 생각부터 했던 것 같습니다. 아이 옷을 아이쇼핑 하면서 호들갑을 떨기도 했던 것 같습니다.

결혼한 지 4개월 만에 우리에게 아기가 찾아오다니!

결혼도 못 하고 부모님만 힘들게 하면서 평생을 살 거라고도 생각했었는데 남들이 하는 것처럼 결혼도 했고, 게다가 아이까지 갖게 되다니!!!!! 아이의 심장 소리를 확인한 그날의 설렘과 감동은 잊을 수가 없습니다.

우리는 서울 서대문구 언덕 비탈진 곳에 빌라 전세를 얻어 신혼집을 시작했습니다. 넉넉하진 않아도 둘이 함께 맞벌이하니 그래도 꽤 살만했습니다. 아끼는 것도 즐거운 나날들이었죠. 그래도 양가의 어르신들은 언덕진 곳 빌라에 살고 있는 우리들을 늘 안쓰럽게 생각하셨던 것 같아요. 그래도 저는 사랑하는 사람과 결혼했고, 염려와 달리 빨리 아이가 생겼고 우리에겐 좋은 일만 생기리라 생각하며 살았습니다.

결혼 전에는 버는 대로 쓰기 바빴던 제가 결혼을 하고 아이가 생기고…. 당시 저는 아끼는 즐거움을 느끼면서 살기 시작했던 것 같습니다. 한때 유행이었던 무지출 도전을 해 가며 한 달에 남편과 생활비 30만 원으로 열심히 살았습니다. 커피 한잔도 모이면 큰돈이라면서 커피 한잔도 아껴가며 열심히 살았던 것 같습니다.

돈을 쓰는 것보다 쓰지 않고 통장에 모아놓는 게, 그리고 그 돈이 모여가는 게 마냥 행복했던 나날들이었습니다. 아이가 생기고 나니 이제 출산준비금을 모은다며 또 다른 통장을 만들어 열심히 저축해 나갔었죠.

아이를 임신하고 출산을 준비하는 그 기간은 아끼는 것도 행복하고 즐거운 기다림의 시간이었던 것 같습니다.

울고 웃고

참 많이 울기도 했습니다.
그리고 많이 웃기도 했습니다.

아이를 꼭 자연분만하고 싶었는데 임신성 당뇨로 인해 38주에 아이를 제왕절개로 분만하게 되었습니다.
임신성 당뇨가 처음 걸리고 나서는 먹고 싶은 걸 마음껏 먹지 못한다는 생각에 한편으론 억울하기도 하고 화가 나기도 했지만, 오히려 식단을 관리해서 먹어야 했기에 아이의 건강에는 좋은 영향을 끼칠 것 같다며 좋은 생각으로 스스로 위안을 많이 했던 것 같습니다.

둘이 함께 맞벌이했기에 크게 어렵진 않았지만 그래도 결혼하고 아이 출산 준비를 앞두니 돈을 아껴야겠다는 생각이 저절로 들기 시작했던 것 같아요.
그래서 열심히 아끼며 살았습니다. 네이버 가계부 카페에 가입해서 열심히 회원 활동을 하기도 하고, 다양한 이벤트 참여로 조리원에서도 아이 기저귀에 당첨되기도 하는 등 저는 다양한 방법으로 우리의 경제적인 어려움을 극복하고자 애썼습니다.

아이의 출산을 기다리면서 아끼는 소비도 즐거웠었던 것 같은데 아이를 출산하고 나서는 아껴야만 하는 생활이 마냥 즐거운 것만은 아니었습니다.
아이를 출산하고 나니 그냥 그런 내 모습이 때때로 초라하게 느껴졌습니다. 좋은 옷, 예쁜 옷 사 입히고 싶은데 그렇게 하기가 힘든 것 같아서 때때로 마음이 힘들었고 대부분 아기용품은 중고 앱을 통해 거래를 많이 했던 것 같아요. 사실 요즘 많이들 그렇게 하는데 그때는 왜 그리도 그게 서러웠는지 모르겠습니다.
그냥 내 아이는 마냥 예쁜 새것만 주고 싶었나 봅니다. 사실 마음속으로 초라하게 느끼는 생각도 많이 했지만, 겉으로 크게 내색은 하지 않으려고 애썼던 것 같기도 합니다.
그리고 마음을 다잡고 다시 좋게 생각하려고 애를 많이 썼던 것 같습니다.
'이렇게 아끼며 소비하는 게 합리적인 방법이다, 나에게 맞게 살면 된다, 이런 생각으로 괜히 주눅 들거나 초라하다는 생각을 하는 그 생각 자체가 오히려 더 초라한 것이다.'
그렇게 많이 위안하고 마음을 많이 다잡았습니다.
혹시라도 이 글을 보면서 그런 생각을 했던 분이 계신다면 그렇게 생각하지 마시라고, 그 생각할 시간에 빨리 좀 더 아낄 생각을 하고 현재의 생활에 충실하라고 이야기를 해 주고 싶습니다.

아이가 어렸을 때는 체력적으로도 힘이 들어 그런 것 때문에 남편과도 종종 다투게 되기도 했었지요. 나 자신이 체력적으로 힘이 드니 다른 이들을 돌아볼 겨를이 크게 없었던 것 같아요. 그리고 미

디어에서 떠드는 것처럼 남편이 '남의 편'처럼 느껴지는 날들도 종종 있었던 것 같습니다.
그럴 때면 가끔은 밤에 혼자서 울기도 했습니다.
아마도 많은 엄마가, 많은 아내가 저와 같은 경험을 했으리라 생각해요. 친정엄마에게는 미안해서, 친구에게는 내 얼굴에 침 뱉기가 될지 싶어 나의 속마음을 털어놓기가 쉽지 않죠.

그래도 마음을 많이 다잡아 가며 그렇게 지냈습니다.
혼자서 산책하기도 하고, 어떤 때는 소리를 내 울기도 하고, 어떤 때는 러닝을 하기도 했습니다.
다양한 방법으로 내 감정을 다스리는 연습을 하다 보니 나 스스로 해결책을 스스로 제시하기도 했습니다. 감정에 빠지지 않고 자신을 스스로 객관화하여 잘 대처할 수 있도록 많이 연습했던 것 같습니다.
그래요. 저도 처음에는 엄마라는 이름의 무게가 쉽지 않았던 것 같습니다. 많은 엄마가 그랬듯 내가 내 옷을 사지 못하고 내가 하고 싶은 것을 억누르며 모든 생활이 아이를 위주로 돌아가는 것도 적응이 되지 않았고, 그렇게 생각하는 스스로가 또 한심하다는 생각도 들었습니다.
'아직은 엄마 되려면 멀었구나….'라고 생각을 많이 했던 것 같습니다.
그런데 이제 와 생각해 보니 그런 나의 곁에 늘 남편이 있었습니다. 때때로 미울 때도 서운할 때도 있었지만 생각해 보니 내가 울 때, 내가 웃을 때 그 일상에 항상 언제나 남편은 늘 옆에서 나를 지켜주었습니다.
남편에게 감사한 마음이 듭니다. 남편도 아빠가 되는 과정에서 힘든 것들이 있었을 텐데 묵묵하게 저의 곁을 지켜주었던 것 같습니다.

엄마가 되면서 저는 재테크에 관심을 두기 시작했고 내 집 마련을 하고 싶다는 생각이 들었습니다.
그래서 처음 청약에 도전하여 2021년도 생애 처음으로 주택 마련을 하게 되었습니다. 저는 지금 작년에 처음 입주한 신축 아파트에서 미래의 꿈을 꾸면서 살아 나가고 있습니다.

결혼하고 출산하고 우리가 울고 웃는 시간 동안 아마도 우리는 엄마로서, 아빠로서 조금씩 성장하고 있었는지도 모르겠습니다.
그렇게 연습을 하고 실제로 경험을 해 나가면서 조금씩 좋은 엄마, 좋은 아빠가 되어가는 연습은 아직도 현재 진행형입니다.

함께 성장

아이를 잘 키울 수 있다는 왠지 모를 혼자만의 자신감이 있었지만, 아이를 키운다는 것은 생각보다 쉽지 않은 일이었습니다.

일단 태어난 직후 잠을 제대로 자지 못해서 늘 예민해져 있고 피곤해서 힘든 날이 많아서 그게 참 힘들었던 것 같습니다. 정말 다자녀를 키우시는 분들을 보면 대단하다 싶은 생각이 듭니다.
한 살 한 살 커 나가면서 두 돌까지는 손이 참 많이 가는 시기라 엄마의 체력적인 한계가 아주 큰 시기라고 생각이 듭니다. 당시 또 코로나 덕분에 집에서만 지내는 소위 '집콕육아'를 하면서 아마도 저처럼 힘들어했던 엄마들이 있었을거라 생각합니다.

저 역시 그랬던 것 같습니다. 낮잠을 너무 자지 않으려 하고 놀기를 좋아하는 아이여서 낮잠을 자지 않는 그 시간을 계속 둘이 버텨야 하는 게 너무 힘들었던 것 같습니다.
낮잠 좀 자라고 하며 언성을 높였던 적이 있는데 그 목소리에 아이가 화들짝 놀랐던 일은 아직도 머릿속에서 사라지지 않는 기억입니다. 그날 밤 얼마나 많이 울었는지 모르겠어요. 코로나로 인한 집콕육아로 누구한테 부탁하지도 못하고 온전히 아이와 있는 시간 동안 체력적인 한계로 아이에게 내가 다소 모질게 하진 않았는지 그런 생각을 하게 되었습니다.

차츰 코로나 시대에도 적응해 가며 외출하고부터는 그래도 좀 나아졌던 것 같아요. 저는 워낙 외출을 좋아하는 성격인지라 아이도 재울 겸 바람도 쐴 겸 유모차를 끌고 동네 여기저기를 많이도 돌아다녔습니다. 가까이 사는 친구가 없어 늘 자주 혼자였지만 그래도 외롭지는 않았던 것 같습니다. 배 속에 있던 아이가 이제는 저의 친구가 되어주었던 것 같습니다. 아이도 차츰 커 가면서 스스로 할 수 있는 것들도 많아지고 말도 조금씩 하기 시작하며 점점 육아가 재미있어지기 시작했던 것 같기도 합니다.

아마도 4살 경부터는 본격적인 훈육도 하기 시작했던 것 같은데 그즈음부터 저는 육아서를 조금씩 더 보기 시작했습니다.
내가 자신만만하게 생각했던 게 참 오만했다고 생각했었고 육아서를 통해 이미 아이를 키워낸 선배 엄마들, 또는 전문가들의 경험담과 비법을 익히고 배우기 시작했습니다.

이제 와 말하건대 육아서는 아이 출산 전부터 읽기 시작해서 꾸준히 읽으면 좋은 것 같습니다.
아이는 생각보다 굉장히 빨리 큽니다. 엄마의 육아관이나 육아 방법이 아이의 성장 과정보다 지나치게 빠르거나 지나치게 뒤처지면 안 됩니다. 때로는 아이의 앞에 먼저 가서 당겨주기도 하고, 때로는 아이의 뒤에서 밀어주기도 해야 합니다. 그리고 가장 중요한 것은 어느 엄마나 다 알고 있듯이 아이를 믿고 기다려 주는 것. 그것을 우리는 결코 잊어서는 안 됩니다.
일찌감치 육아서를 많이 읽지 못한 게 다소 후회가 되었지만, 이제는 나만의 육아관이나 방법을 차츰차츰 정리해 나가며 성장해 나가는 시기라고 생각합니다.

엄마라는 타이틀이 부담스럽고 내가 우선이었던 한 사람이 엄마라는 타이틀을 자연스럽게 받아들이고 아이 중심의 생활이나 일과가 그저 자연스러워지면서 우리는 엄마의 세계에 새롭게 발돋움하는 게 아닐까, 싶습니다. 저는 그것이야말로 아이와 함께 성장하는 엄마의 모습이라고 생각합니다. 아이는 세상이 처음이고 엄마 역시 엄마가 처음입니다. 아이 혼자서도, 엄마 혼자서도 할 수 없습니다. 엄마는 아이와 함께 성장해야 합니다.

행복

어린 시절 그 체력적으로 힘들던 시기가 지나고 4살 정도부터는 그래도 '아, 이제야 좀 살만하구나' 싶던 시기였던 것 같습니다.
이제 말도 조금씩 하기 시작하니 그 옹알거림, 말하는 것도 어찌나 예쁘고 귀여웠든지요.

저는 다행히 아이에게 말을 예쁘게는 많이 해 주었던 것 같아요.
함께 잠자기 전 누워있는 아이를 향해
"천사가 따로 없구나"
"엄마는 너를 제일 사랑해. 오늘도 건강하게 자라줘서 고마워."
"엄마는 보석이 따로 필요 없어. 엄마한테 제일 소중한 너라는 보석이 있는데 보석이 다 무슨 소용이야."
등등이요.
아이 역시 언젠가부터 제 말을 듣고 제가 해 준 이야기를 저에게, 또는 남들에게 해 주기도 하더라고요.

행복은 참 시시각각 있었던 것 같습니다.
아이가 종알종알 이야기할 때, 예쁜 말을 할 때, 함께 여행을 갈 때, 같이 재미있게 놀이할 때 등 생각해 보면 행복은 저 먼 곳이 아니라 우리의 바로 곁에 있었습니다.
아이와 함께했던 그 소소한 일상의 시간이 지금은 모두 추억이 되어 나의 마음속에 소중히 간직되어 있습니다.

지금도 저는 아이와 함께 소중한 추억을 계속 쌓아나가고 있습니다. 때로는 혼내기도 하고, 욱할 때도 있고, 아이가 토라지기도 하지만 그래도 토닥토닥 다독이며 좋은 엄마가 되기 위해 애쓰고 있습니다. 저는 이런 저의 노력이, 그리고 아이를 향한 믿음이 우리 가족을 좋은 길로 향하는 데 아마도 힘이 될 거라고 진심으로 믿고 있습니다.
오늘도 저는 아이 덕분에 행복의 그림을 한 장 한 장 그려나가고 있습니다.

엄마라는 이름

사실은 이 마지막 장을 쓰고 싶어 이 글을 시작했는지도 모르겠습니다.

아이를 출산하고 다음 날 친정엄마가 병원에 오셨는데 엄마를 보자마자 눈물이 흘러내렸습니다.
그냥 어떤 마음이었는지 이제는 정확히 기억나지 않지만, 그냥 흘러내리는 눈물 앞에…. 어떤 말도 설명할 수가 없었던 것 같습니다.
그냥 엄마라는 이름.
그 단어 하나만으로도 그냥 하염없이 울었던 것 같습니다.

아이를 키워나가면서 때때로 엄마 생각이 날 때도 종종 울었던 것 같습니다.
엄마를 향한 내 마음이 무엇이었을까? 엄마는 나에게 어떤 사람이었을까?

고맙고 사랑하고 늘 힘이 되어주는 사람.
본인이 힘들 때도 늘 나를 먼저 생각해 주고 챙겨준 사람.

투정 부리고 철없는 딸을 묵묵히 지지해 주고 격려해 준 사람.
늘 나를 믿고 나의 선택을 응원해 준 사람.
엄마가 되고 나니 나의 엄마를 이제야 비로소 생각하고 볼 수 있게 되었습니다. 엄마는 나에게 최고의 사람이었습니다.
그간의 엄마에 대한 마음이 아이의 출산과 함께 눈 녹듯 녹아내리는 것 같았습니다.

저는 참 행복한 사람입니다.
사랑하는 어머니, 아버지의 딸로 태어나서 참 행복한 사람입니다.
그리고 외롭지 않도록 예쁘고 착한 나의 베스트프렌드 여동생을 낳아주신 것도 너무 감사한 일입니다.

아이를 낳고 키워야 어른이 된다고 했던 옛말이 꼭 틀리지만은 않은 것 같습니다. 결혼 전에는 '아이 낳은 게 뭘 대수라고 아주 벼슬을 한 일이네'라고 거들먹거렸던 철없는 여자에서 모든 것을 내가 아닌 아이 위주로 생각하고 타인을 좀 더 배려하는 진정한 엄마가 되어가는 중이라고 생각합니다.

나의 엄마가 그러했듯 끊임없이 성장하고 우리 아이의 선택과 행복을 응원해 주는 그러한 엄마가 되고 싶습니다.
그리고 그러리라 생각하고 믿고 있습니다.

우리는 엄마라는 이름을 갖고 있습니다. 엄마가 아닌 사람은 있겠지만 엄마가 없는 사람은 없었을 것입니다. 우리는 모두 엄마라는 이름을 가진 사람에게서 태어났습니다.
어떤 이는 엄마라는 이름으로 인해 내 자신의 이름이 없어지는 것 같다고 하지만 저는 엄마라는 이름만큼 예쁜 이름은 없다는 생각이 듭니다.
나의 존재가 비록 지금은 하찮을지언정
나의 존재가 때때로 초라했을지언정
나의 마음이 때로 아팠을지언정
사랑하는 엄마가 나를 낳고 키워주신 그 마음을 기억하고 앞으로의 나의 삶을 향해 뚜벅뚜벅 걸어 나가야겠습니다.

나의 엄마에게도 이제는 정말 자신 있게 말할 수 있습니다.

"엄마, 지혜와 사랑으로 키워주셔서 정말 감사드립니다.
저 정말 행복하게 잘 살께요.
그리고 세상에서 가장 예쁜 당신, 진심으로 많이 사랑합니다"

엄마의 마음

세상에서 멋진 단어 중 하나를 꼽으라면
이제는 단연코
엄마라는 단어를 꼽을 것이다.

언젠가는 알콩달콩한 소녀였던 그녀들도
하루하루 시간이 흐르며
단단한 삶의 무게를 짊어지고
누구보다 용감한 한 명의
항해사가 되어간다.

세상에서 위대한 단어 중 하나를 꼽으라면
이제는 단연코
엄마라는 단어를 꼽을 것이다.

할머니가 되는 그녀들도
한 아이의 삶을 지탱해 주고 지켜내 나가며
넓고 깊은 바다가 되는 것이리라.

내 아이가 넓고 깊은 바다에서
자신의 행복한 길을 찾을 수 있도록
응원하고 격려해 주고픈 것이
엄마의 마음이다.
지금의 우리가 그러하듯
우리의 엄마 역시 그러했을 것이다.

엄마라는 이름은 그렇게 바다가 되어가는 것이리라.

추억의 시간, 행복백書

꽃자리

꽃자리

×

추억이 되어버린 장소, 회상의 시간.
우리 동네에 행복한 책방, 작은 동네 책방이 생겼었다.
책 주문을 온라인 주문으로 했던 나에게 책방에서 책을 사는 일은 익숙하지 않았다.
책방이 우리 동네에 오래 머물길 바라며 나는 직장에서 그림책 동호회를 만들고 책방에서 그림책을 만나는 시간을 가졌다. 그 시작은 2017년도였으며 2024년 현재 행복한 책방 자리에는 까페가 들어왔고, 모임은 한동안 못하고 있다. 돌이켜 생각해 보니 책방 서가의 책들과 책 냄새를 맡으며 책을 고르던 행복감, 그곳에서 만난 소중한 사람들과의 인연에 감사하다. 모든 것은 변한다. 우리는 잠시 머물러 있을 뿐이다.

회상 1

행복백書 첫 번째 모임

2017. 6. 13

점점 사라져가는 책방들~
그 무거운 짐을 짊어지고 작은 주택가 뒤편에 자리 잡은 행복한 책방!
더더욱 눈길이 가는 이유다.
급속히 변하는 시대에서 우리 아이들이 살아갈 세상을 생각하면 덜컥 겁이 난다.
언젠가 힘든 시간이 찾아올 때 우리 아이들이 엄마와 아빠의 손을 잡고
책방에서 책들과의 만남을 통해 행복했던 순간들을 꺼내 위로받길 소망한다.
그러기 위해서는 우리가 먼저 책을 만나는 시간을 마주해야 하지 않을까?
거창하지 않아도 때론 거창한 세상을 선물하는 그림책을 행복백書와 함께 하고 싶은 이유이기도 하다.
책을 만나고,
책을 기다리고,
책을 선물하고,
책을 선물 받고,
책과 함께 우리의 행복의 향기가 도처에 퍼지리라 믿는다.

오늘 그대들은 어땠을까?
나는 안다.
잔잔한 호수에 작은 돌멩이가 우리 가슴에 파문을 일으켰으리라는 것을.
한 사람,
한 사람이 모여서
아름다운 그림을 만들어 내리라는 것을.

회상 2

행복백書 전시 책과 말꼬리

2014. 3

행복한 책방에 행복백書 그림책 전시가 있었다. 우리가 그 동안 읽었던 그림책에 소개글을 간단하게 쓰며 말꼬리를 달던 시간.

1. 알사탕 - 사랑해. 사랑해. 사랑해. 사랑해. 사랑해. 사랑해. 사랑해.
2. 두더지의 소원 - 얘야, 밖에 좀 나가보렴. 멋진 손님이 널 찾아온 것 같구나.
3. 두더지의 고민 - 얘야, 고민이 있을 때는 눈덩이를 굴려보렴
4. 이제 곧 이제 곧 - 모든 만남이 설레는 순간… 이제 곧 도착할 누군가를 기다릴 때.
5. 이상한 엄마 - 우리 엄마도 이상한데 더 이상한 엄마~!
6. 킁킁가게 - 엄마를 그리워하는 소년, 아이를 그리워하는 엄마! 킁킁.. 바로 이 냄새!
7. 친구에게 - 친구, 아들, 딸, 남편, 아내 모두에게 건네고 싶은 그림책
8. 황금 이파리 - 황금 보기를 돌같이 하라~! 소유가 아닌 공유의 기쁨
9. 곰아저씨의 - 선물 너에게 한번도 보지 못한 '눈'을 꼭 보여주고 싶어. 네가 보낸 눈사람 봤지?

10, 11. 〈엄마가 달려갈게〉 〈아빠가 달려갈게〉- 엄마, 아빠가 달려가지 못하는 현실에서 위로가 되는 책! 못 달려가서 미안해!

12. 비밀이야 - 쉿! 비밀이야! 궁금해? 정말 비밀이야! ^^

13. 눈물바다 - 눈물은 모든 감정의 집합체! 그러니 실컷 울어서 바다가 되어도 좋다.

14. 너는 특별하단다 - 내가 너를 만들었고, 넌 아주 특별하단다.

15. 100만 번 산 고양이 - 100만 번 중에 나로 한번은 살아봐야 하지 않은가?

16. 이게 정말 나일까? - 엄마, 있잖아요. 넌 누구니? 이런, 벌써 들켰네! 저 로봇은 반품이야.

17. 빛을 비추면 - 빛을 비추는 당신이 진정한 빛입니다. 우리는 서로의 빛!

18. 아이는 웃는다 - 더 이상 웃지 않는 어른을 보고, 아이는 웃는다.

19. 겁쟁이 빌리 - 걱정이 많은 나에게 걱정 인형을 만들어 주고 싶다.

20. 프레드릭 - 계절이 넷이니 얼마나 좋아? 넘치지도 모자라지도 않는 딱 사계절..

21. 우리는 언제나 다시 만나 - 연우야! 우리는 언제나 다시 만날 테니 울지 말고 엄마를 기다려주렴.

22. 빈 화분 - 꽃을 피운 것은 부모의 거짓, 빈 화분에 담긴건 부모의 진실. 우리는 무엇을 담을 것인가?

23. 이유가 있어요 - 너만 이유가 있냐? 엄마도 이유가 있다.

회상 3

요시타케 신스케 그림책을 만나는 시간

2018. 1. 25

〈함께 읽은 그림책〉

이게 정말 나일까?

이게 정말 사과일까?

이게 정말 천국일까?

이유가 있어요.

불만이 있어요.

뭐든 될 수 있어.

벗지 말 걸 그랬어.

심심해! 심심해!

❀❀❀

나는

바란다.

그림책 한 권이 우리의 삶에 많은 변화는 가져오지 못하더라도

적어도 함께하는 시간만큼은 웃고, 위로가 되기를....

요즘 나는 평범한 일상이 가장 소중한 것이 아닐까? 라고 생각한다.

평범한 일상에서 우리가 함께여서 조금은 더 행복하다면

그보다 더 큰 선물은 없으리!

회상 4

엄마 그림책을 만나는 시간

2019.7.12.

〈함께 읽은 그림책〉

고함쟁이 엄마

너 왜 울어?

보고싶은 엄마

되지 엄마

엄마, 잠깐만!

엄마약

무릎딱지

엄마가 만들었어

엄마 왜그래

다시, 그곳에

❀❀❀

엄마!

부르면 왜 가슴이 울컥할까?

세상에 태어나 맘마 다음으로 엄마~를 부르는 거 같다.

그리고,

20대 전까지 가장 많이 불러보는 단어는 '엄마' 아닐까?

엄마

엄마

엄마

엄마

엄마

대부분은 무언가를 해결해야할 때!

누군가의 아들, 딸로..살아온 우리

이제는 누군가의 엄마, 아빠로의 삶!

우리에게 위로가 되어줄 그림책.

슬픔, 반성, 감동, 웃음, 그리고 눈물나는 그림책.

회상 5

존버닝햄 그림책을 만나는 시간

2019.10.11.

〈함께 읽은 그림책〉

깃털 없는 기러기 보르카

검피 아저씨의 뱃놀이

검피 아저씨의 드라이브

셜리야, 물가에 가지마!

우리 할아버지

지각대장 존

장바구니

❀❀❀

존 버닝햄 작가의 그림책을 잠시 엿보는 시간,
흑.백이 주는 시간적 의미, 상반되는 모습, 반복되는 구성은
그림을 통해 여러 상황을 만나는 재미를 더해준다.
세계적인 작가 존 버닝햄은 어린이의 생각을 염두에 두고 그림
책을 만들지 않는다고 했다.
작가의 마음속엔 이미 순수한 어린아이가 살고 있으니 책이 그
대로 품고 있다 여긴다.
"모두 괜찮다" 며 위로가 되어주는 존 버닝햄 작가의 그림책!
아이들에게 가장 사랑받는 이유가 아닐까?
그리고,
우리는 또 반성하는 시간을 가진다.

회상 6

이보다 흐미엘레프스카 그림책을 만나는 시간

2020.10.30.

〈함께 읽은 그림책〉

문제가 생겼어요.

반이나 차 있을까 반밖에 없을까?

눈

마음의 집

주머니 속에 뭐가 있을까?

발가락

네 개의 그릇

학교 가는 길

생각 연필

생각

우리 딸은 어디 있을까?

두 사람

❀❀❀

이보나작가의 책을 쌓아 놓고 천천히 읽어보는 시간
행복백書를 준비하는 시간은 늘 설레고 기다림으로 행복하다.
매번 이 호사를 누린다.
이미 여러 번 보았음에도 또 새로운 발견을 하게 되고 또 다른 생각을 하게 된다.
그게 그림책이 주는 매력이다.
물들어 가는 가을처럼
우리는 함께여서 웃고 즐기는 시간 안에서 위로의 향기가 온 마음에 퍼져 나감을 느낀다.

늘 나는 그것이 감사하다.

회상 7

코비야마다 그림책을 만나는 마법의 시간

2023.1.3.

〈함께 읽은 그림책〉

문제로 무엇을 할 수 있을까?
생각으로 무엇을 할 수 있을까?
돌을 다듬든 마음
마법의 사탕 한 알

❀❀❀

코로나 이후로 정말 오랜만에 그림책을 함께 읽었다.
행복한 책방의 이전으로 올해부터는 퇴근 후 우리과에서 모임을 진행하기로 했는데
빔프로젝터와 대형 tv가 있어서 자유롭게 영상을 공유할 수 있고 자료도 볼 수 있어서 살짝 공간의 질이 높아진 것은 사실이나 책방에서 느껴지는 서가의 책들과 향기가 없어서 개인적으로는 아쉽기도 하다.
오늘 그림책을 통해 아주 조금은 즐겁고 아주 조금은 위로가 되는 시간이었길 바란다.
지난해 마지막으로 읽은 동화 찰스 디킨스의 〈크리스마스캐럴〉

에는 과거, 현재, 미래의 혼령이 나오는데 그 책에서 마음에 가장 드는 문장은 스크루지에게 혼령이 찾아온 이유가
“네가 행복해지길 바란다.”라는 말이었다.

그 책을 읽고 안도할 수 있었던 것은 우리에게 미래가 있다는 것,
미래에 대한 희망과 기화가 있다는 것에 대한 위로였다.
내일이 있다는 것은 얼마나 가슴 설레는 일인가?
마지막 사탕 한 알처럼
매일 우리에게 주어진, 매일 맛이 다른 사탕 한 알을 음미하면서
그 무엇보다 소중한 마법 같은 하루하루를 소중하게 살아가자.

문제가 있을 때,
두려워하지 말고 생각과 친구가 되어
돌을 다듬는 마음으로 이겨낸다면
우리에게 매일 사탕 한 알의 소중한 하루하루가 펼쳐질 것이다.
그럴 용기를 우리는 이미 가지고 있다.
모두를 응원한다.

우리 함께 어른이

김지연

김지연

×

아이들을 기르면서
나도 매일매일
무언가를 깨닫고 배우고
어른이 되어간다

입시생이
주말 아르바이트

벌써 5개월째
치킨집에서 주말 아르바이트
카운터가 한가할 때도
자기가 접는 박스라고~~ㅋㅋㅋ

비싼 미술 입시학원비
아르바이트해서 200만 원을
보태준 우리 딸.
대견하고 고마워서
나는 너무나 행복한 엄마다
딸아, 그렇게 저렇게
시간을 잘 보내보렴
나도 널 행복한 딸로
만들어 줄 테니~~!!!!!

아침 공기가 주는 힘

밤새 한잠도 못 자는 걸
지켜보느라
자다.. 깨다.. 자다..... 깨다
나도 같이 뜬눈으로
아침이 되었다
난 하루 종일 눈이 따갑고 아팠다 ㅠㅠ
아직 젊은 너는 괜찮은지....
잠깐이라도 눈을 붙이고 학교에 가면
더 좋으련만.
뭐가 그리도 널 불안하고
힘들게 하는 걸까
정신 차린다고
깜깜한 겨울 이른 아침 6시
걸어서 학교엘 가는 너

부디...
이런 시간이
앞으로 어른이 되어서도
잘 견뎌내고
잘 살아가 가는
단단한 근육이 되기를♡

고양대로838번길
Goyang-daero 838beon-gil

내딸 최고

엄마는
네가 너무 대견하고
자랑스럽기까지 하다

너 자신은 더 좋겠지...
격하게 많이 표현 못 해 주었던 게
미안하고 후회된다
왜 그랬을까...
나 혼자서는
여기저기 온갖 자랑하고
난리 쳤는데...

이제
남은 입시까지 실컷
칭찬하고 응원해 줄게~~~!!

크리스마스 전시 우수상

상명	성명		시상내역
대상	심민서 고2	수시집중	교육문화상품권 10만원권
금상	구해찬 고2 황민하 고1	실기집중 애니고2A	교육문화상품권 5만원권
은상	이영주 고2 황예지 고1	수시집중 애니고2B	교육문화상품권 3만원권
	염세빈 고2	고등기초	

어깨 뽕 개선장군
고3 생일 기념

방학이 생일이라
항상 소소히 보낸듯싶더니....
이제 제법 많이도 컸나 보다
매일
친구들로부터 집으로 오는
택배를
기다리고 받는 행복이~
또 요즘을 살아가는
힘이 되는 것 같다 보인다
"엄마 저 제법 잘 산 것~같죠??"
해 가면서...
"내일 또 몇 개 올 거예요~"
ㅎㅎㅎ
그래 딸아
엄마는 그런 게 살아가는 것 같더라
고난~ 행복~ 슬픔~ 행복~
반복 반복~~

그러니
힘들고 아픈 일이
또 와도
우리 헤쳐나가 보자!!!

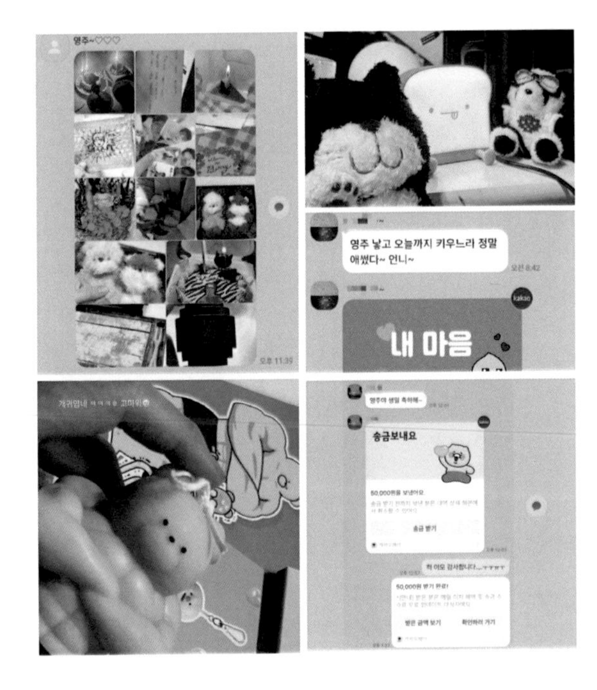

영주~♡♡♡
오후 11:39
영주 낳고 오늘까지 키우느라 정말
애썼다~ 언니~
오전 8:42
kakao
내 마음
영주야 생일 축하해~
송금보내요
50,000원을 보냈어요
송금 받기
50,000원 받기 완료!
받은 금액 보기
확인하러 가기

Good Luck!!

어떤 일이든
운도 함께 따라야
하더라
지금처럼 시간을 잘 보내고
이제 점점 욕심도
더 내 보면 좋겠다
너의 앞날에
행운이
항상 함께 할 거라 믿어~
딸♡파이팅 하자

이영주 작품

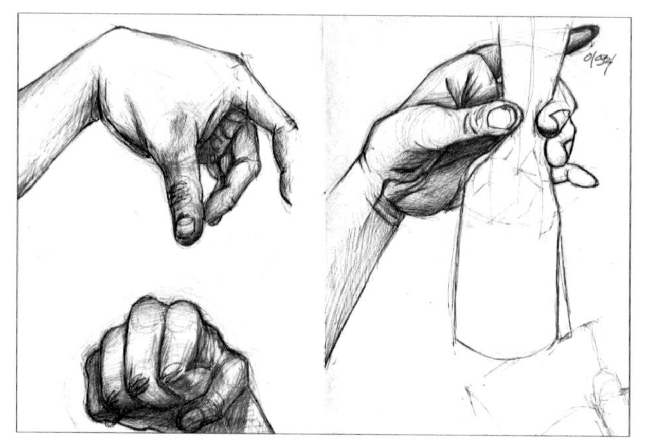

이영주 작품

이영주 작품

심야영화 서프라이즈

학원이 끝난 늦은 시간
심야영화 ~
어찌 된 일인지
극장에 우리 둘만 끝까지
전세냈다~ ㅎㅎ
신기방기 재밌기만 한 이런 일

딸아~
어찌 됐든.. 뭘 하든...
시간은 간단다
이제 우리는
하루하루 우리의 할 일을
하면서 잘 보내보자

행운의 기적

꽃마리쌤

꽃마리쌤

×

하루 한 줄 감사로 행운과 기적을 끌어당긴다! 감사는 선택이다. 풍요로운 것이 너무나 많아서 감사하는 것이 아니라, 어려운 가운데서도 감사를 선택했기 때문에 감사할 수 있는 것이다. 그리고 감사를 선택했기 때문에 행복하는 것! 수많은 아픔을 거치며 넘어지고 깨지면서 습득되는 것이 감사이다. 아이들과 함께한 감사 일기 기록의 일부를 담았다.

2019. 6. 7

떨어진 장미들 덕분에 웃을 수 있고
우산 속 천사가 웃어주니 감사하다.

2019. 6. 15

한 시간째 땅 파는 아이 옆에서
돌을 발견하고는 화석을 발견한 듯 기뻐하는
모습을 볼 수 있어 감사하다.

2019. 7. 14

작은 아이 두 손에 들려온

옥수수 2개, 방울토마토, 고추

모두 감사한 수확이자 기쁨이다.

2019.7.19

작은 아이는 다리 깁스하고도 형들과 잘 어울려 논다.

멋진 형들도 고맙고

땀나는 이마의 꾸정물도

감사하다.

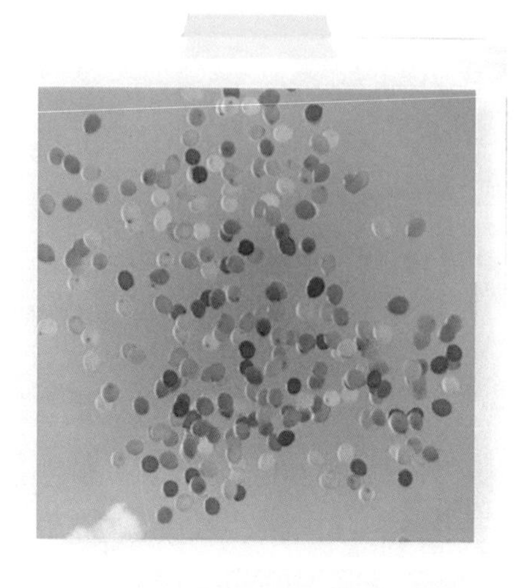

2019. 8. 16

두 아이와 마트에 다녀왔다.
바퀴 달린 바구니를 끌고 서로 끌겠다고 싸운다
난 울고 싶다

마트 가서는 한 아이는 바구니 끌고 한 아이는 정리하고
나는 지시만 하면 된다.
난 행복하다

2021.10.11

공부방에서 물총놀이를 하며 놀았다.
천국의 아이들 같다.

"걱정일랑 접어두고 웃어봐요! 우리처럼!"

2021.10.11

내 생일. 아이들에게 꽃을 사달라고 했다.
아이들은 잔돈까지 털어 국화꽃을 사주었다.
엄마 생일에는 무조건 꽃을 사달라고 선주문했다.
화려한 장미 말고 들꽃 같은 꽃이면 된다고 했다.
알아들었나 모르겠지만 일단 감사하다.

2021.10.11

"엄마 아빠 태어나게 해줘서 감사합니다"

"형아. 내 형아로 태어나 줘서 고마워"

큰 아이 생일날 아침 서로에게 해주는 말.말.말.

2021.10.11

두 아이들은 티격티격 몸싸움을 하는가 하면,
어떤 날은 걷기 힘들다고 투정 부리는 동생을 잘도 업어준다.

형제애는 이렇게 생기는가 보다.

2020. 1. 6

내일은 작은 아이 생일이다.
어릴 적 사진 뒤척거리다 보니
이때가 있었구나 싶었다.

이 아이가 준 행복이 크구나.
힘들기도 버겁기도 했지만 분명 행복의 비중이 더 컸다는 것.
나의 아이로 태어나줘서 고맙다.

2021. 3. 16

작은 아이가 요즘 자주 하는 말.

"엄마, 오늘은 워거즐튼무아 야!"

엄마도 아무튼즐겁다!

2021. 5. 31

야밤에 큰 아들 준비물 재료가 되어 준
꽃과 나뭇잎들에게 고맙다~

감 꽃도 주었다. 줍는 내내 행복했다.

시크한 듯 사춘기인 듯 아닌 큰 아이.
같이 하는 시간에 감사하다.

☆

올해 큰 아이는 고등학생이 되었고, 둘째 아이는 초등학교 6학년이 되었다. 아이들을 키우면서 후회 없이 잘한 일이 있다면, 성장을 기록했다는 것이다. 어릴 적 사진과 글을 차곡차곡 기록하고, 감사일기를 썼다. 노년에 들추어 볼 보험처럼 든든한 책들이 되었다.

모든 기록은 저마다 가치가 있다

☆

가족이라는 이름만으로 힘이 들기도 하고, 힘이 되기도 한다. 고만고만 힘들고 고만고만 행복한 우리들의 삶이라지만, 앞으로 날들은 고만고만 덜 힘든 날들로 채워졌으면 좋겠다.

그래서 오늘도 감사하다

〈책만들기파워업 25기〉

함께 할 수 있어서 감사합니다

신수연

스완맘

꽃자리

김지연

꽃마리쌤